LES GARDIENS DU MASER 5
LE BOUT DU MONDE

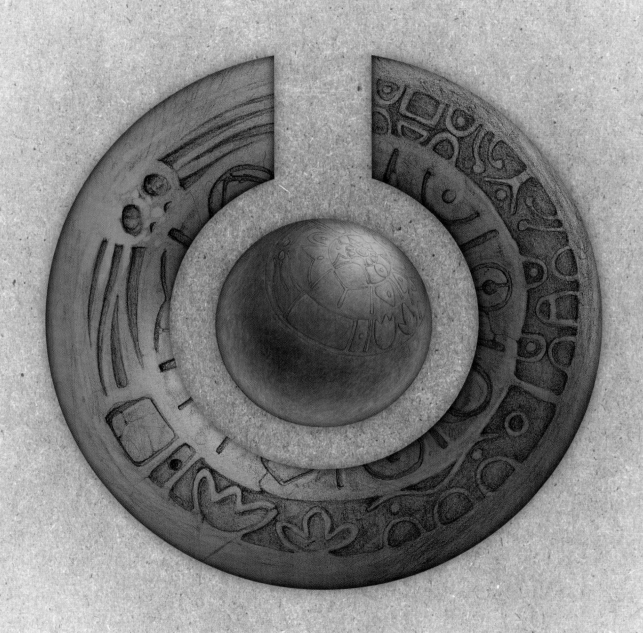

Scénario et Dessin

Massimiliano FREZZATO

Co-scénariste
MANDRYKA

ÉDITIONS USA

Conception graphique: Tashi Bharucha

Il était une fois la tour... en l'Eiz 17, sur Kolonie, la glace, dont les nappes avaient jusqu'alors recouvert la planète, avait enfin fondu, et la société des colons était au sommet de son développement scientifique et culturel... Cette période fut appelée l'âge de la "Grande Splendeur".

...Personne n'aurait jamais imaginé que tout allait basculer si vite: pendant le 18ème Eiz, le peuple des nains, lassé par sa place tout en bas de l'échelle sociale, se révolta contre les habitants humains de la tour... Pendant les huit Eiz de guerre qui s'ensuivirent, tout contact fut perdu entre la tour et les communautés de savants habitant près des îles. Soixante Eiz se sont maintenant écoulés... Le temps et la mort ont œuvré ensemble pour effacer le savoir et les connaissances technologiques. Désormais, la tour est devenue une légende pour ces groupuscules éparpillés qui croient être les uniques survivants d'une planète, dont personne ne se souvient du nom. Fango se retrouve embarqué dans l'aventure du vieux Zerit dont l'existence est vouée à la quête de la tour du maser. Ils sont tous deux échoués sur une île embrumée quand Erha part sur les traces de Zerit. Le trio se retrouve prisonnier de l'infâme Ivolina et de ses nains fanatiques. Après une évasion spectaculaire, la chouette d'Erha tombe en panne de carburant et ils font un atterrissage d'urgence dans un cratère où Fango trouve l'amour. Enfin arrivé à la tour, Erha, Zerit et Fango parviennent, après avoir surmonté quelques embûches, à monter jusqu'à un lac suspendu dans lequel ils tombent. Zerit et Fango regagnent vite la surface alors qu'Erha entre en communion avec une reine Yok et fait un rêve étrange...

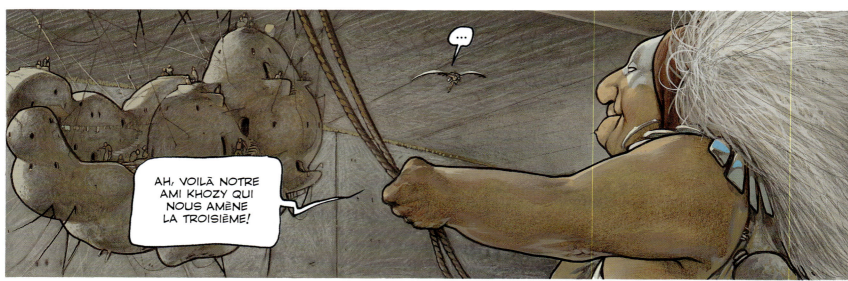

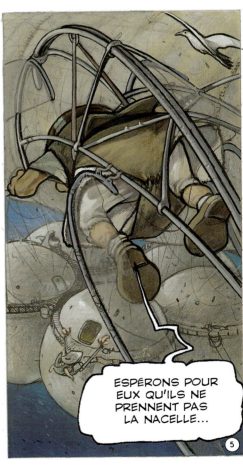

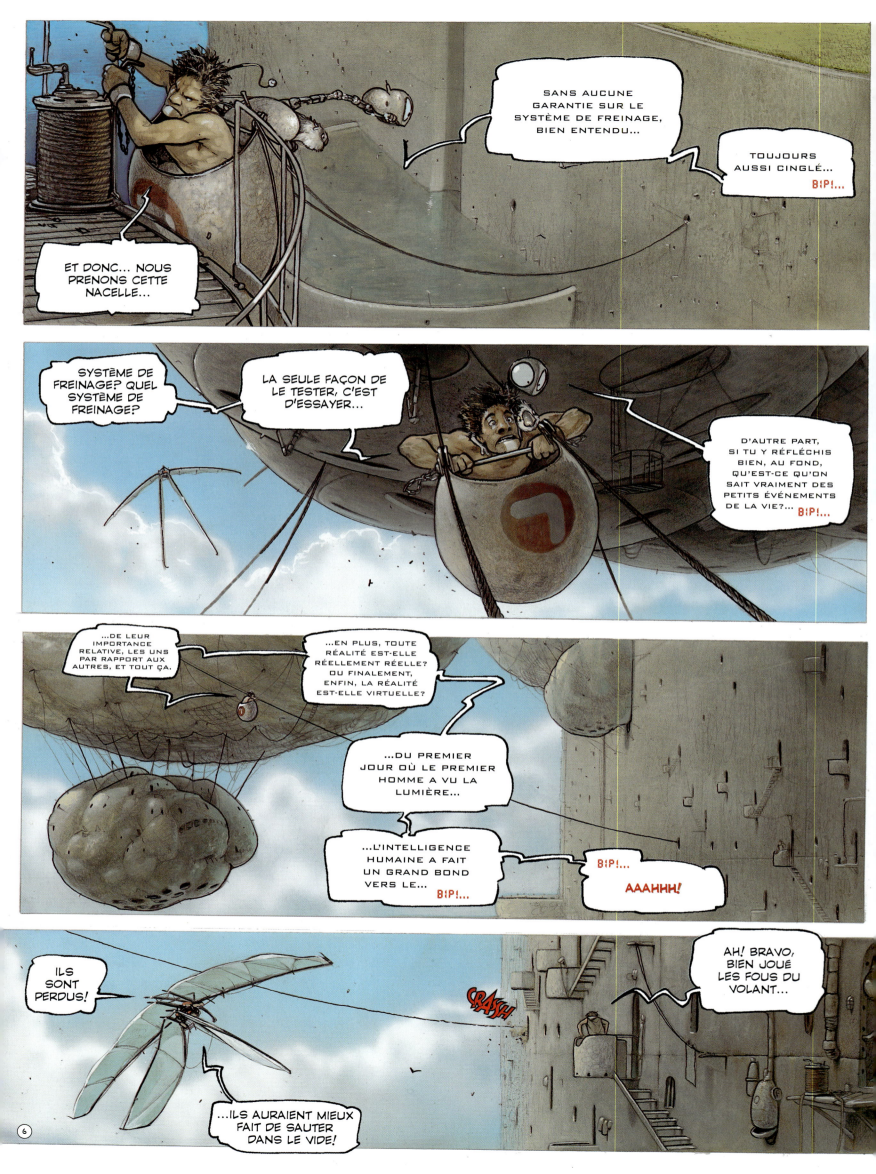

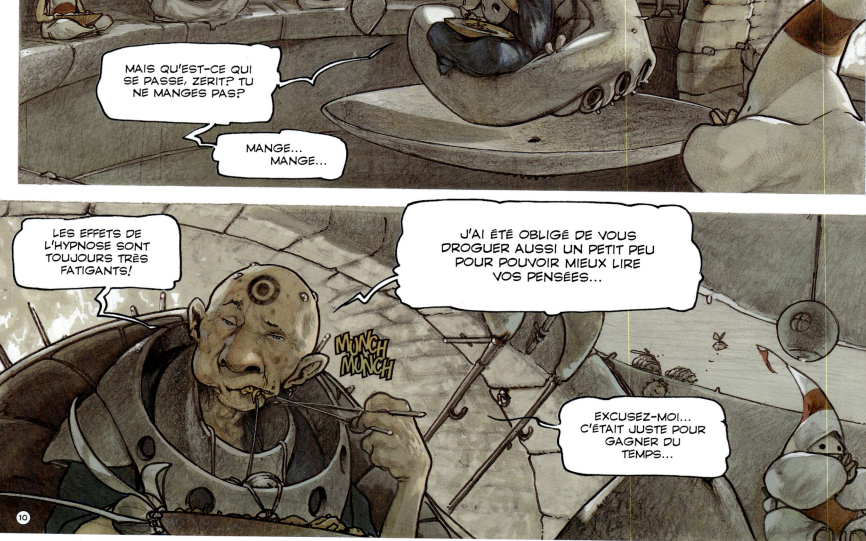

MAIS AU MOMENT OÙ J'AI COMPRIS COMMENT PASSER...

...QUELQUE CHOSE DE TERRIBLE EST ARRIVÉE...

J'AI SOUDAIN ÉTÉ ENVELOPPÉ PAR UNE LUMIÈRE DOUCE ET AVEUGLANTE... ET TOUT S'EST EFFACÉ DE MA MÉMOIRE !

UNE SYLVYTE M'A TROUVÉ SANS CONNAISSANCE ET M'A SOIGNÉ...

JE N'AI JAMAIS RÉUSSI, HÉLAS, À RETROUVER L'ENDROIT EXACT DU PASSAGE...

ET AUJOURD'HUI VOUS M'AMENEZ LE SYMBOLE SACRÉ. SANS DOUTE LA CLÉ POUR ATTEINDRE LE HAUT DE LA TOUR.

ASSEZ DISCUTÉ COMME ÇA !

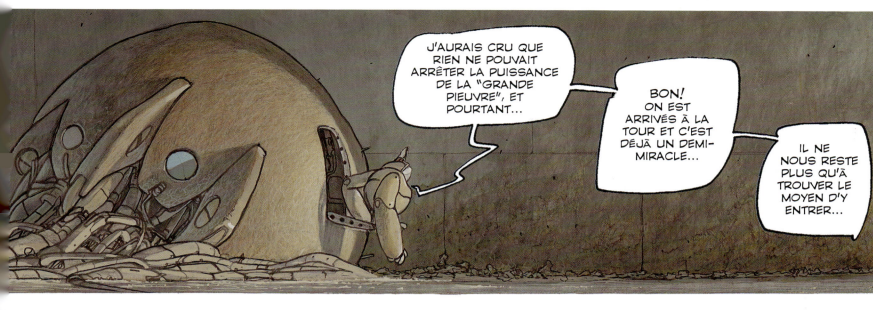

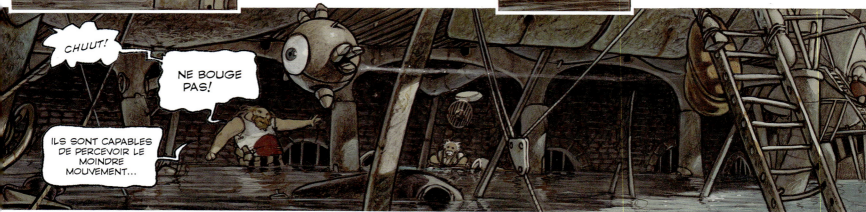

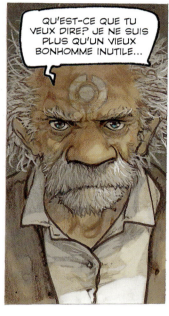

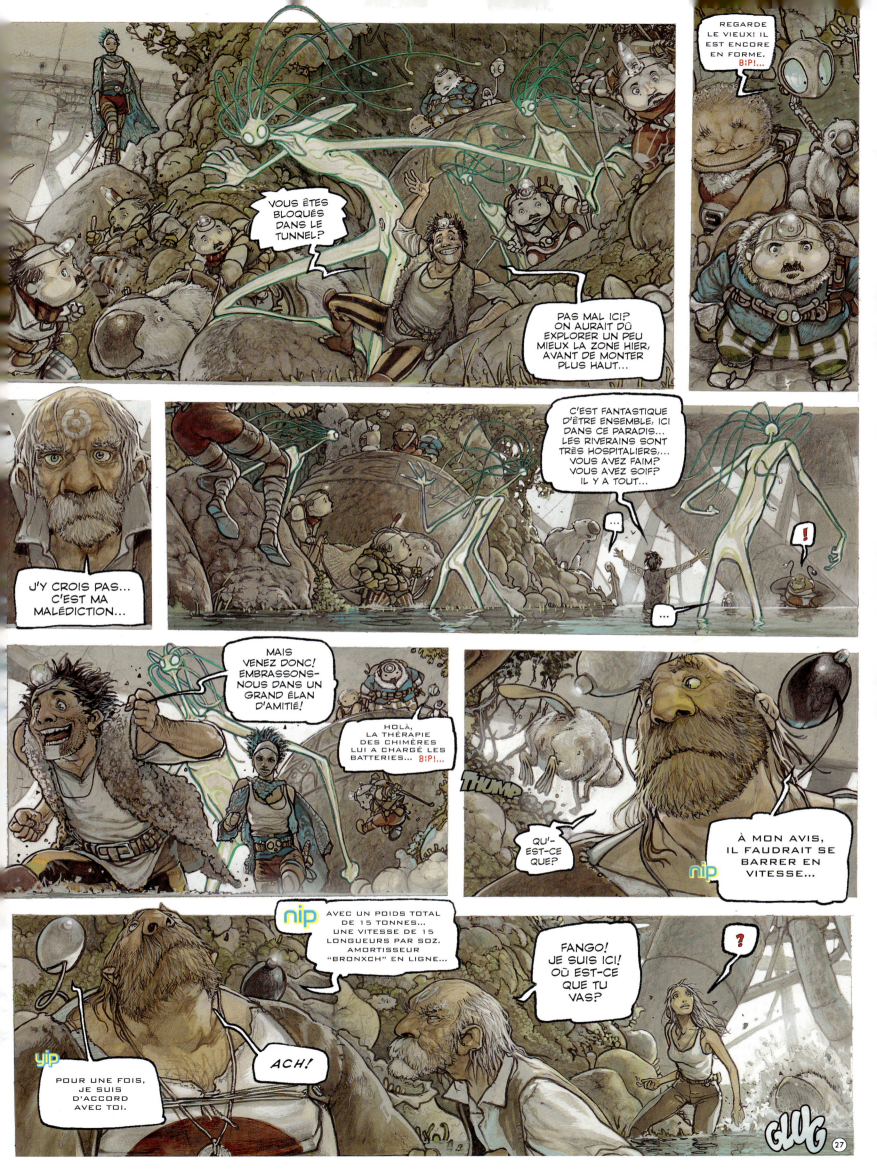

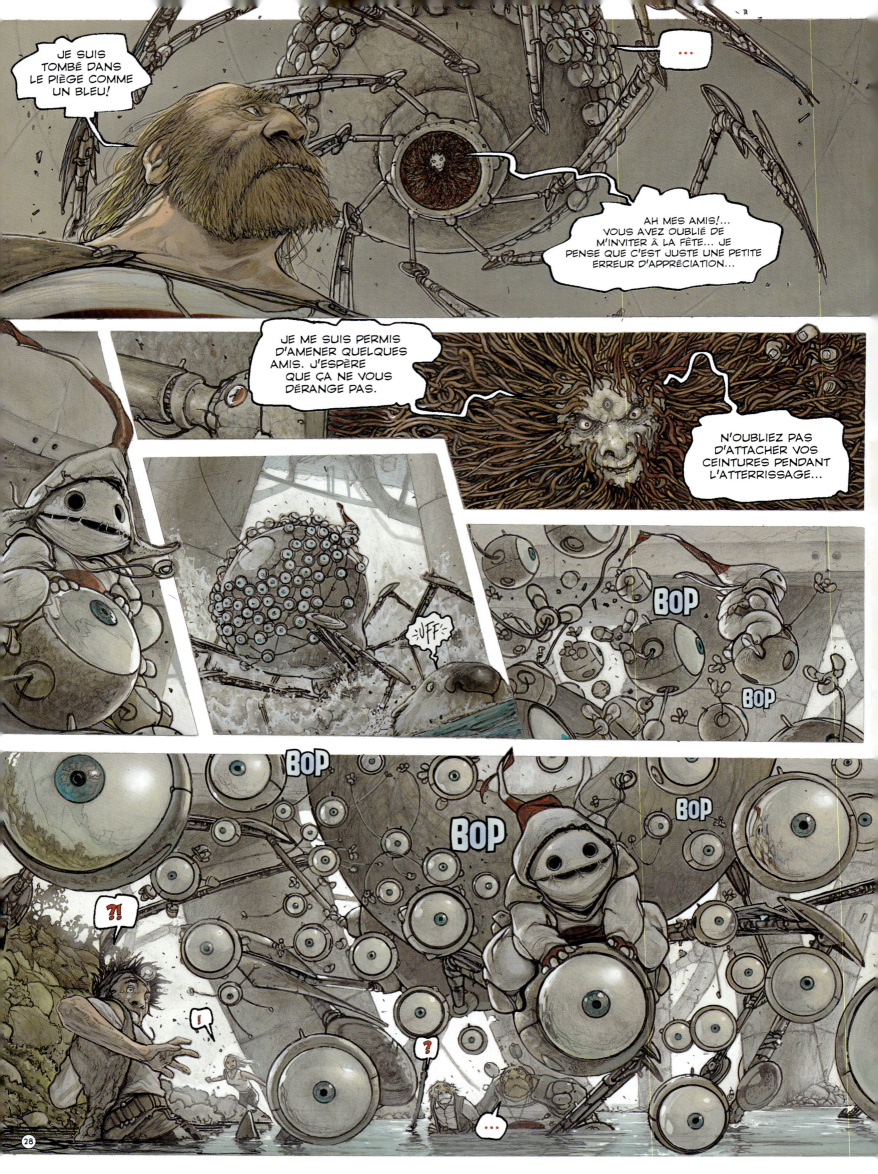

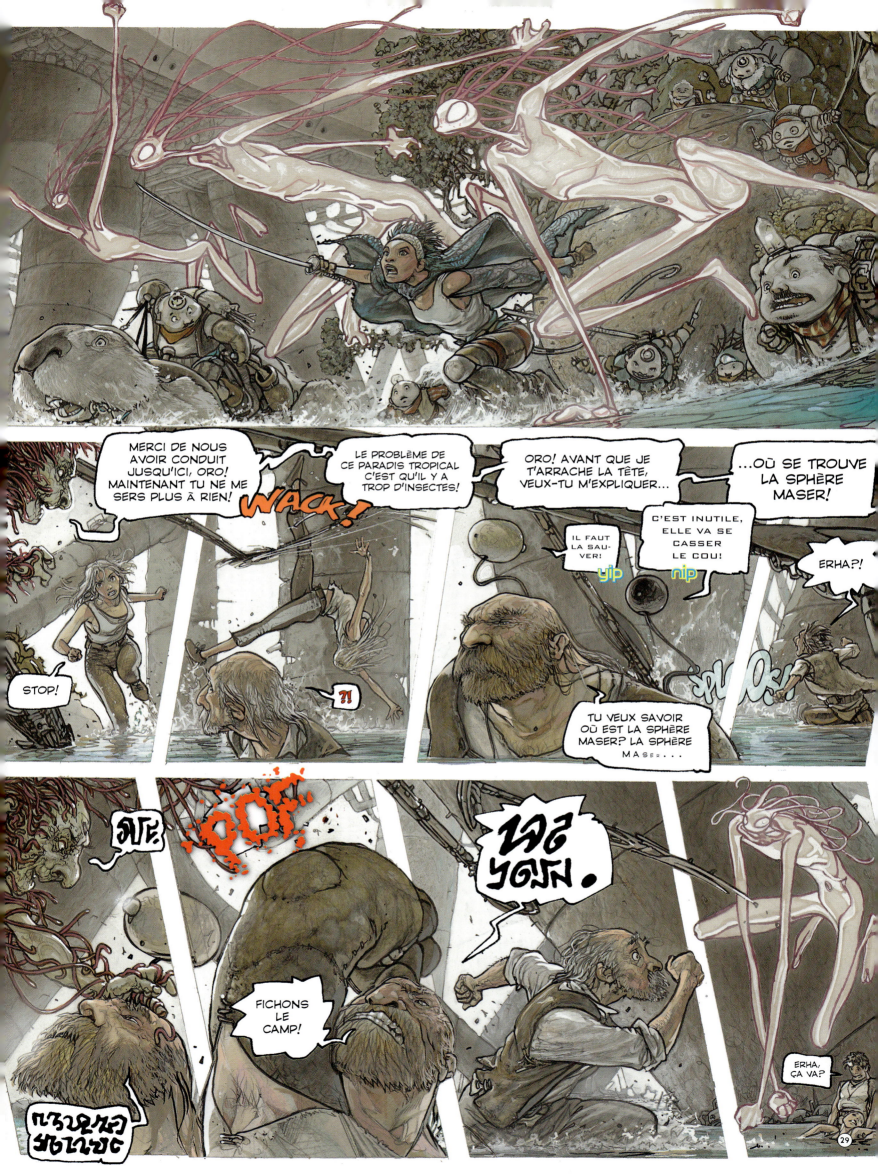

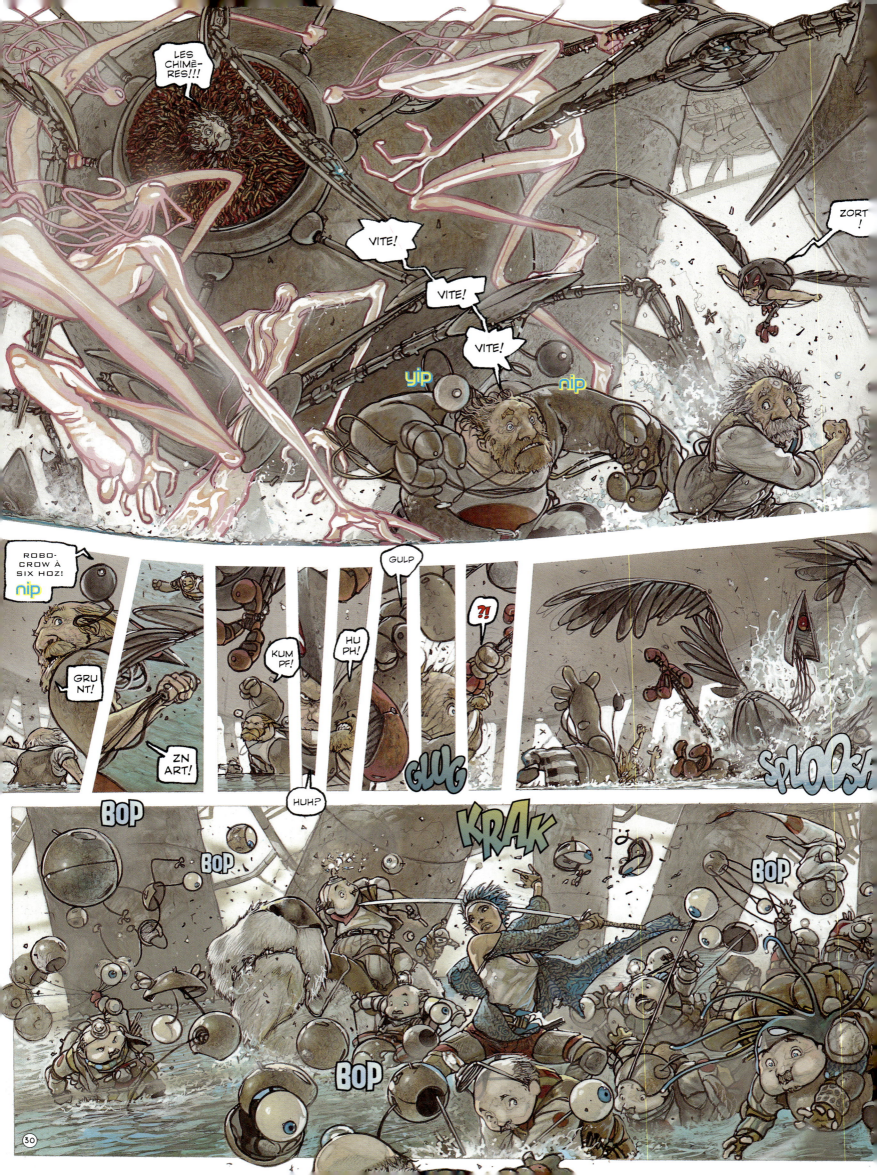

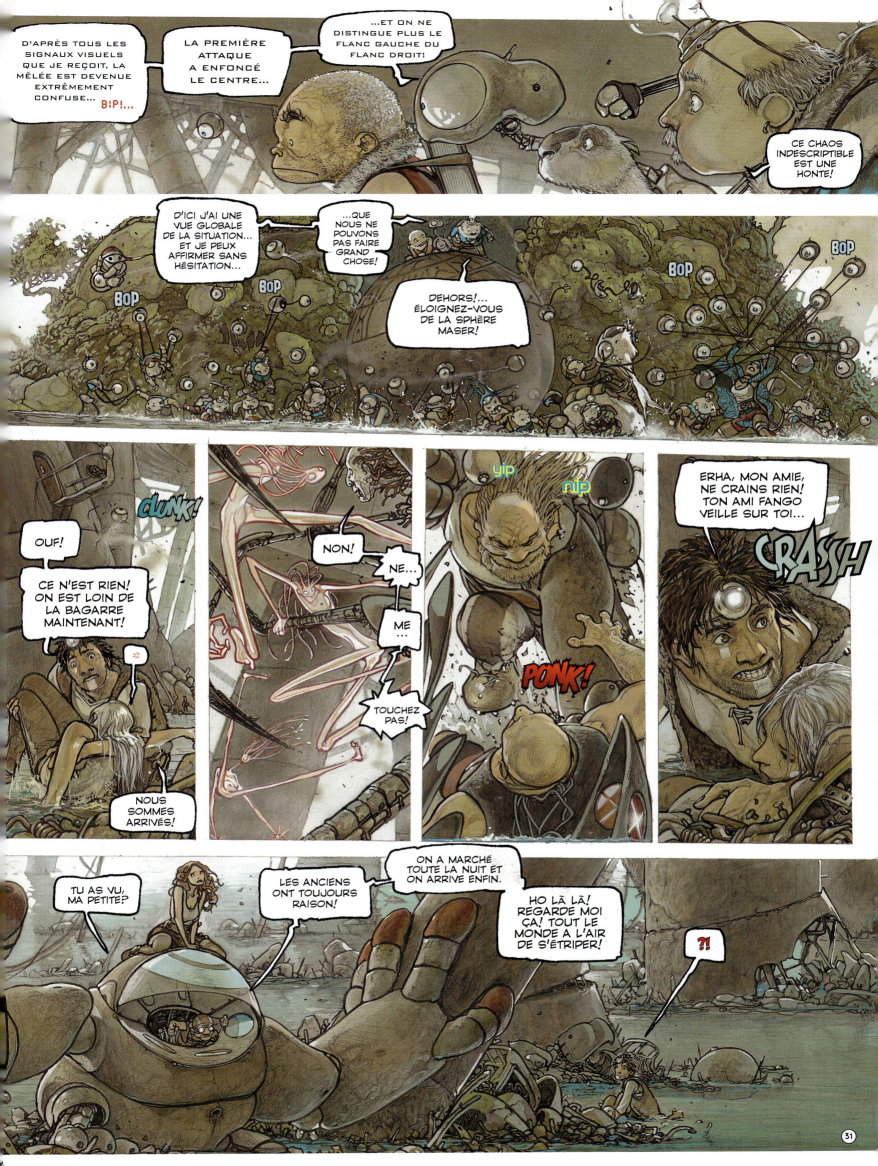

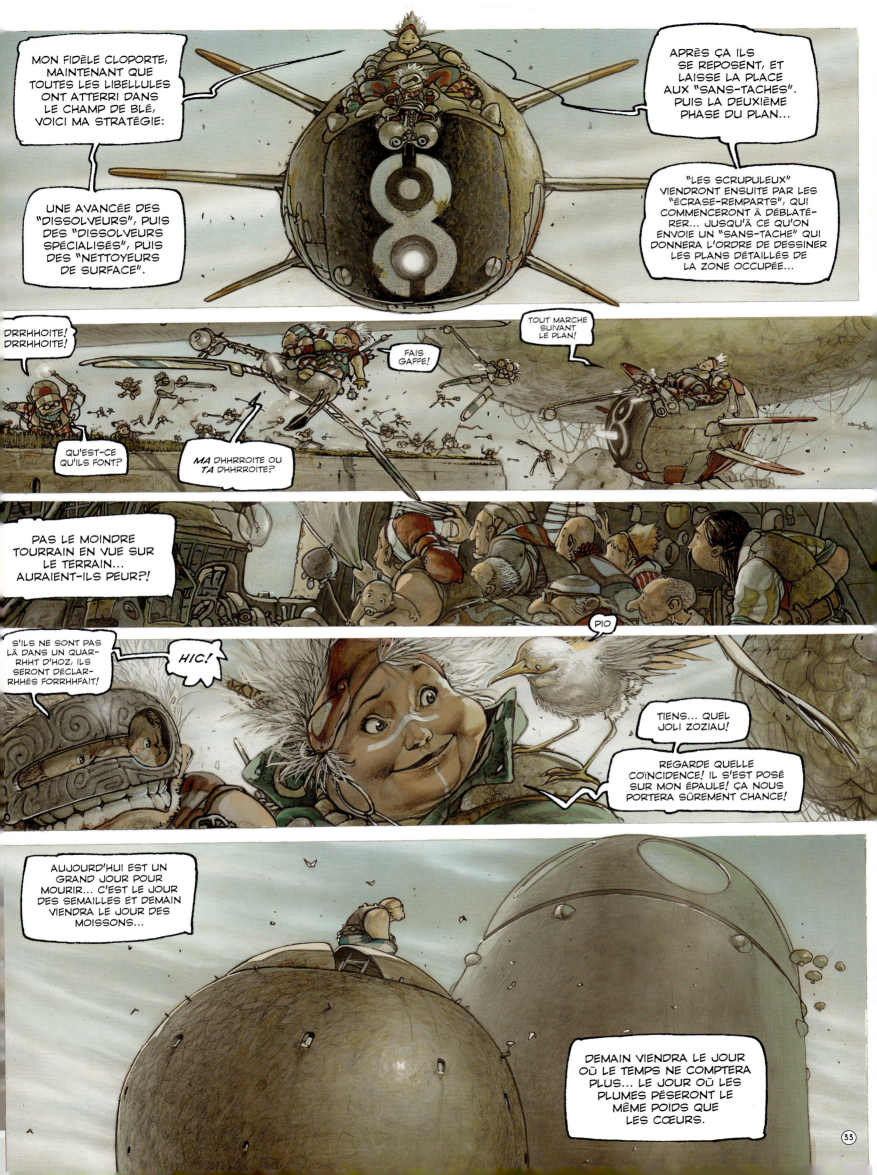

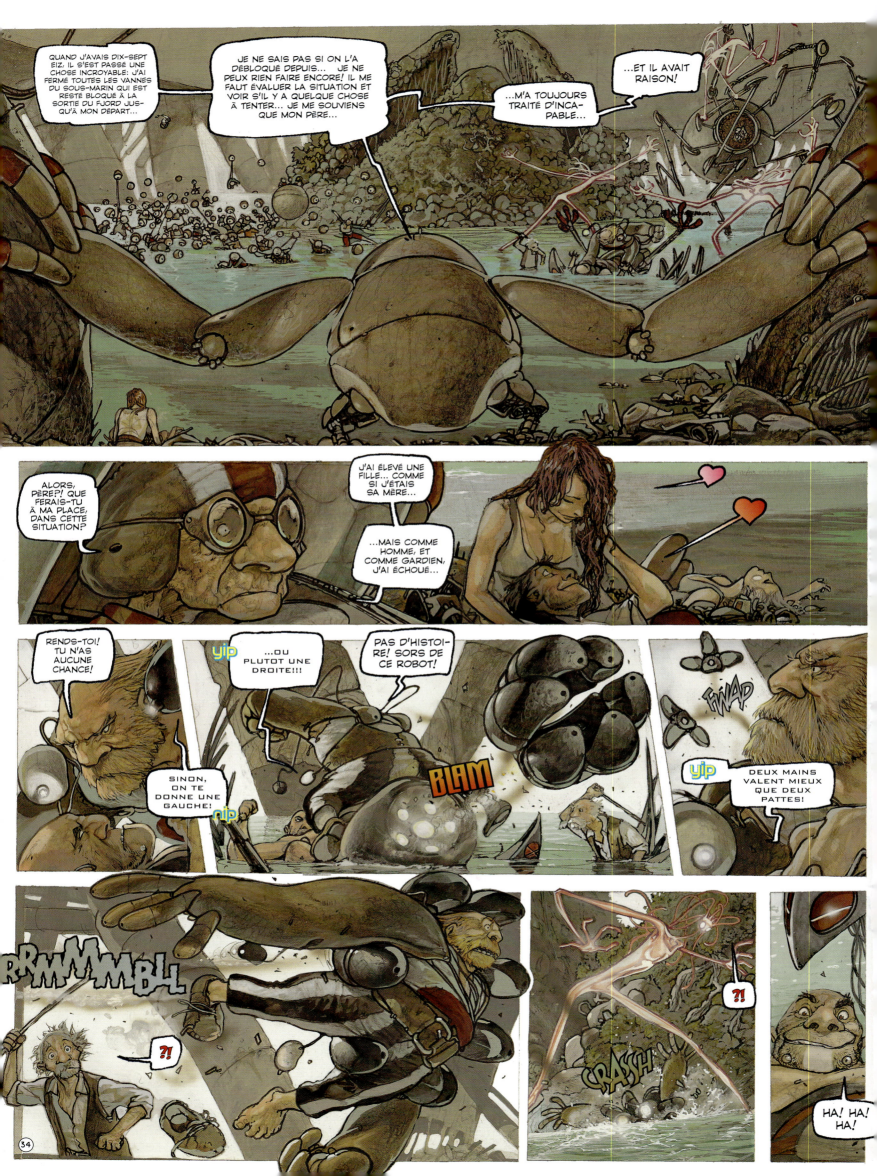

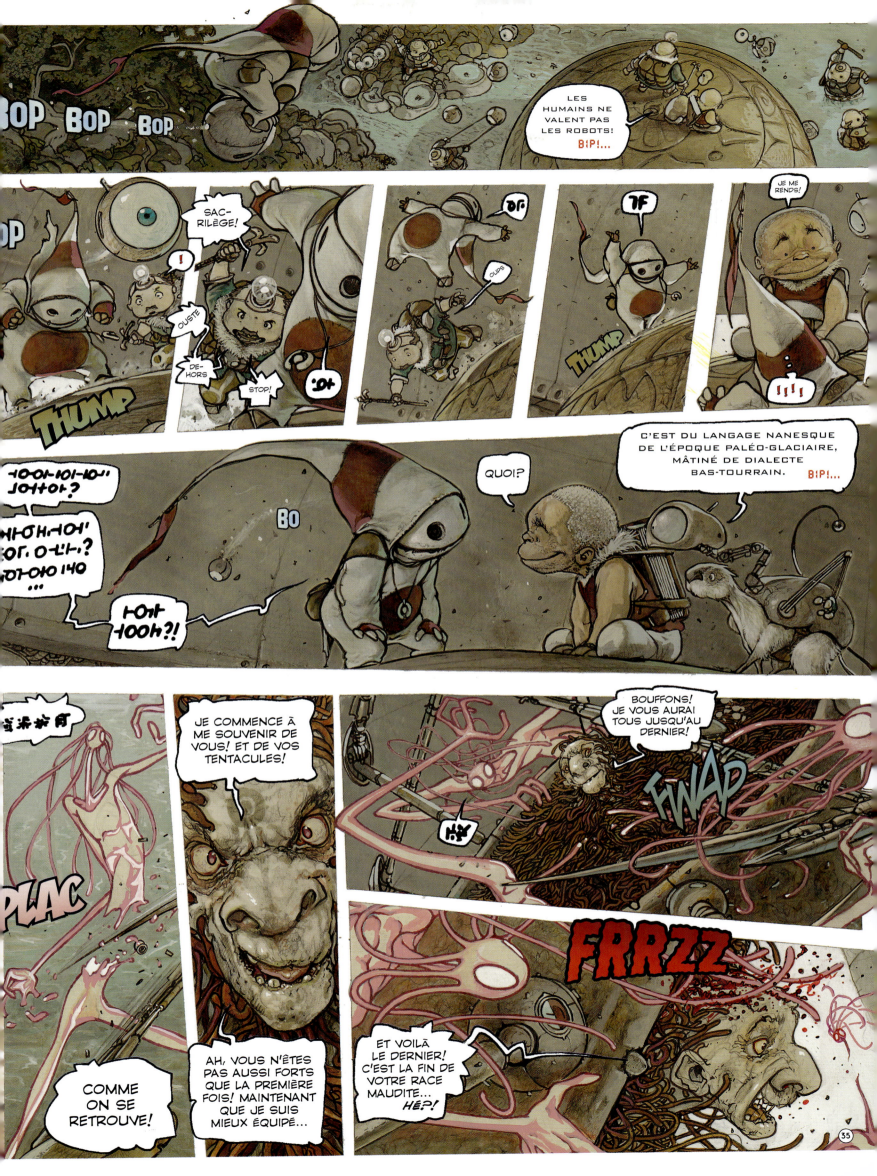

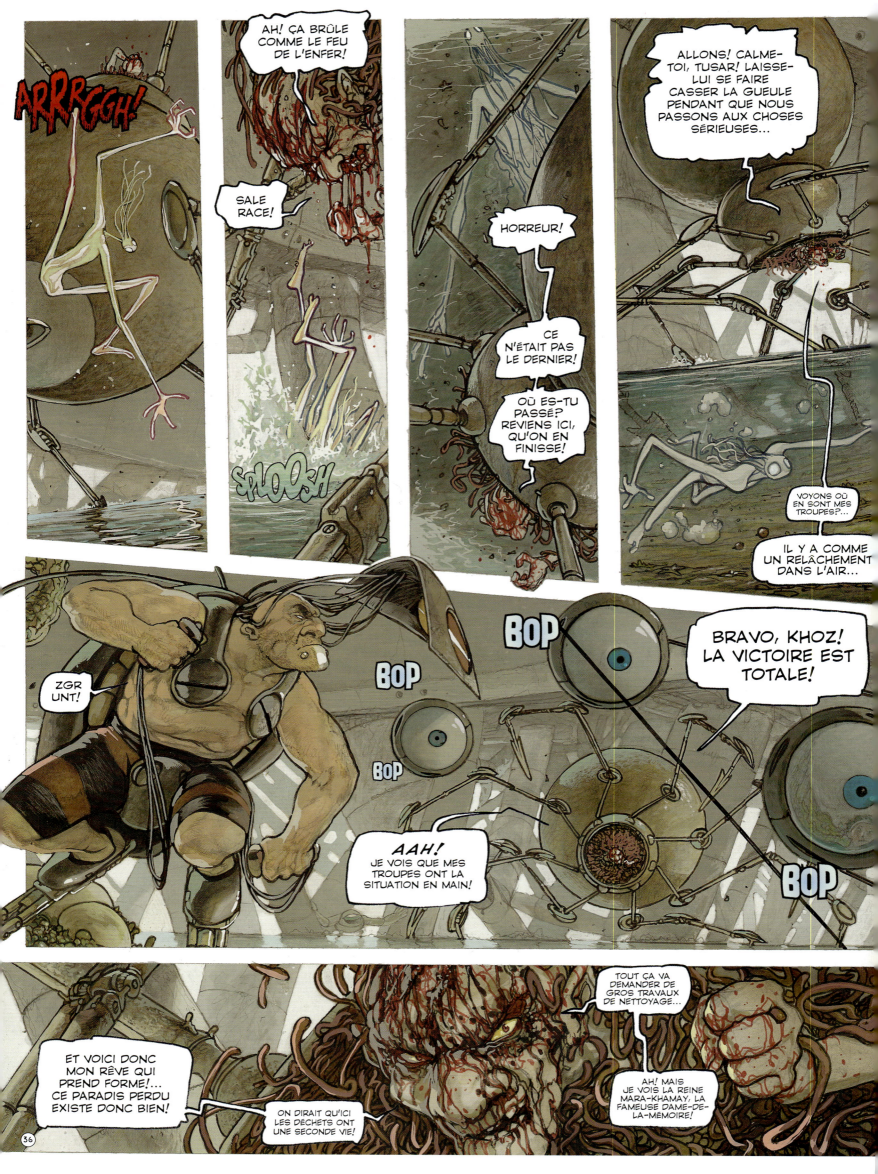

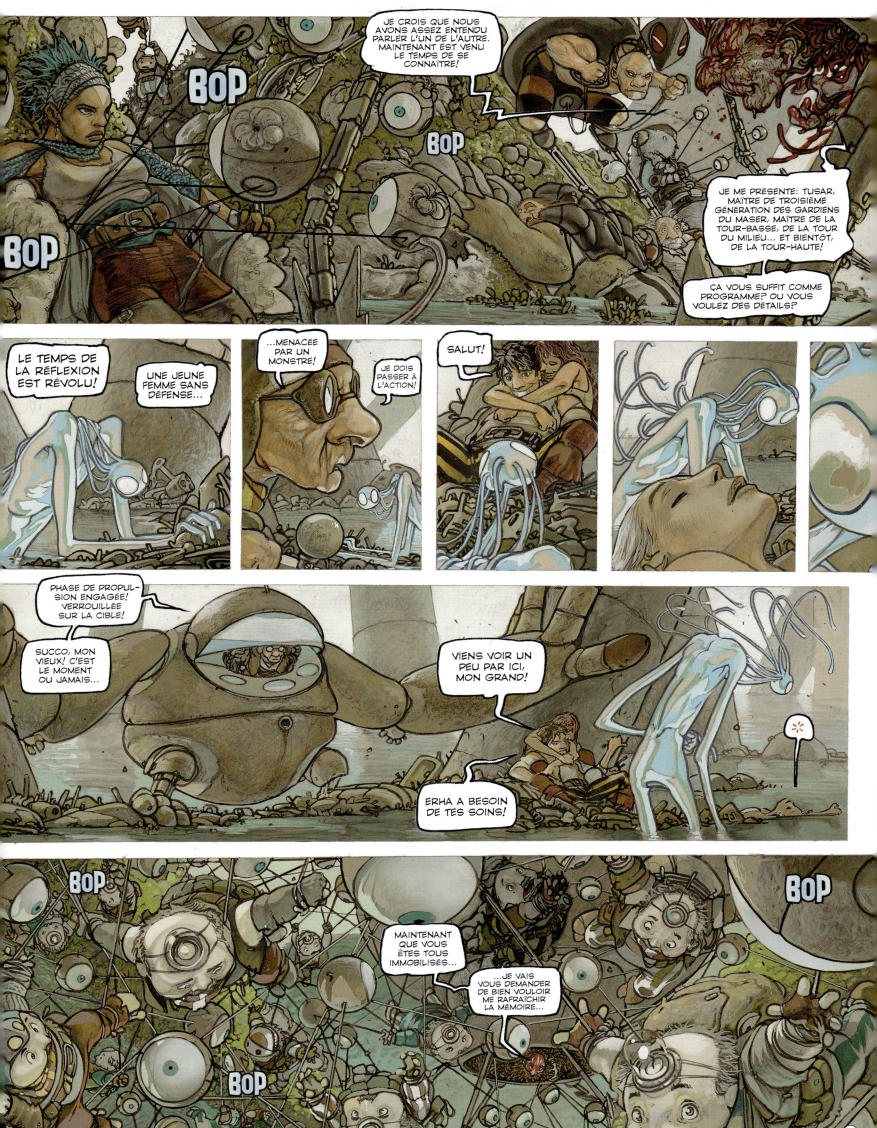

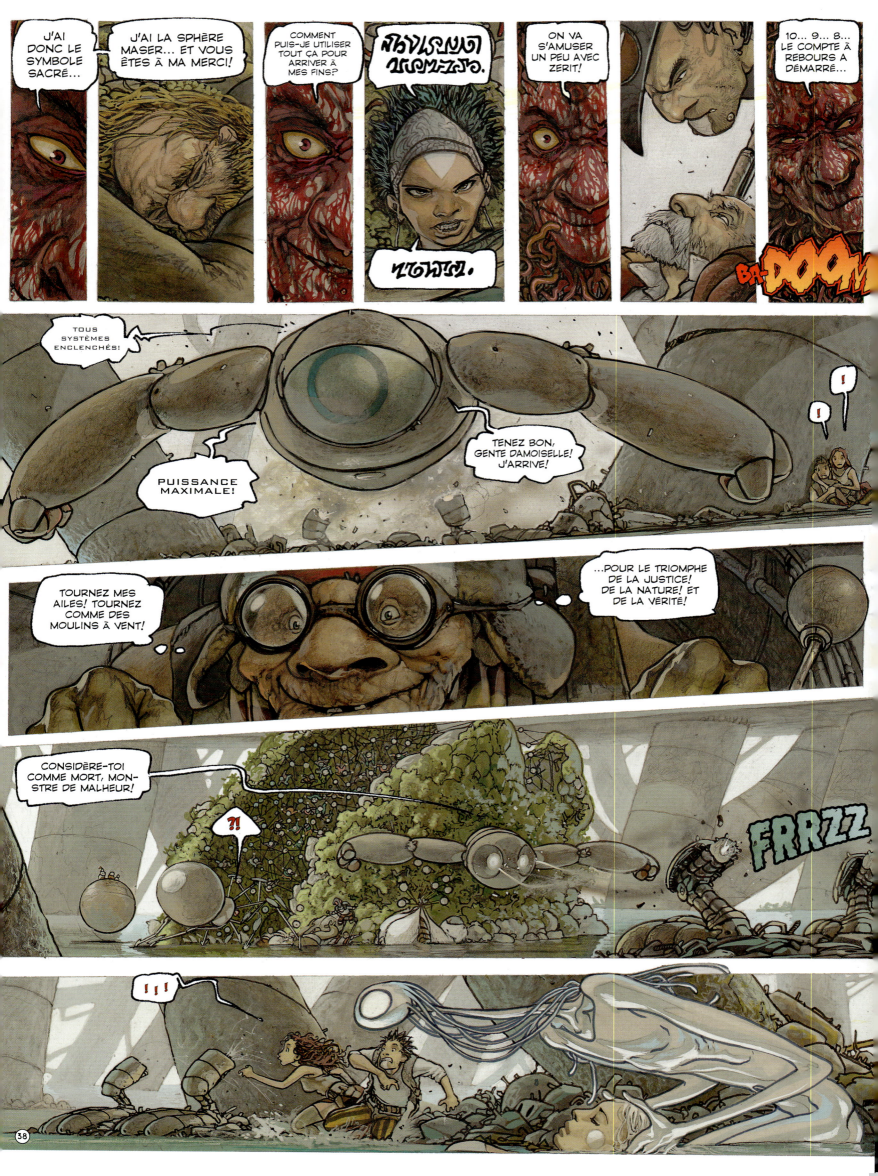

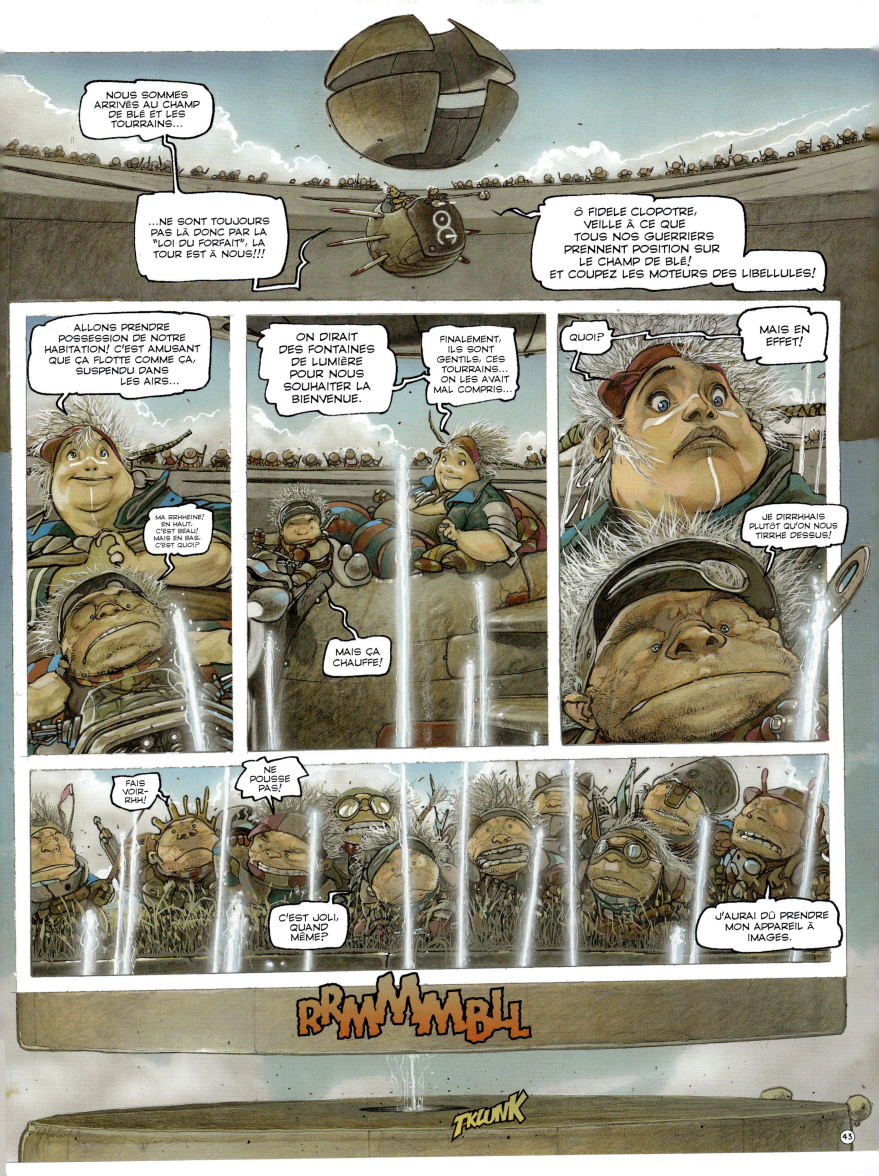

LES GARDIENS DU MASER 5: LE BOUT DU MONDE
Copyright © 2003, Editions USA / Massimiliano Frezzato
All Rights Reserved

Editions USA, 127 rue Amelot, 75011 Paris
ISBN 2-914409-09-4
Dépôt légal: janvier 2003
Imprimé en Italie par Valprint (MI)

À TANIA...

...ET JE TIENS À REMERCIER FABIO RUOTOLO ET MICHELA SEZZA POUR AVOIR SUPPORTÉ L'INSUPPORTABLE.

LA TOUR

GUIDE INDISPENSABLE
Pour tous les explorateurs, les fouineurs et amateurs de sensations fortes...

...qui veulent absolument atteindre le sommet sans trop de problèmes.

TUSAR

84 eiz. Maître de Zerit et successeur de Succo dont il a toujours refusé les enseignements.
Parti pour la Tour en l'eiz 7.7.4, il est arrivé 4 eiz après. Il a détrôné le chef du village et lui a volé sa chaise-à-roues et son Mecharachnide, dans lequel il a perdu une main pour avoir oublié un anneau sur son doigt (vr Mecharachnide).
Il a appris à parler la langue Ki pendant son enfance passée à la Tour.
Il est un des gardiens fondateurs du Maser. Il aime beaucoup se promener le soir dans son champ de blé, en écoutant le chant de ses corbeaux.

GRAPPIN de TUSAR::
Il s'en sert pour hypnotiser ses victimes.

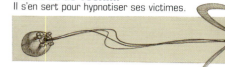

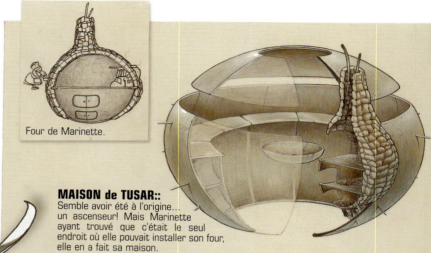

Four de Marinette.

MAISON de TUSAR::
Semble avoir été à l'origine... un ascenseur! Mais Marinette ayant trouvé que c'était le seul endroit où elle pouvait installer son four, elle en a fait sa maison.

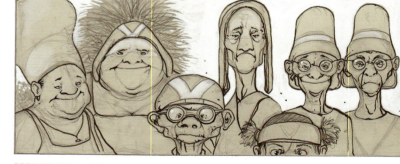

CHAISE-À-ROUES::
Appartenait au chef du village. Tusar jure que le chef du village lui en a fait cadeau avant de tomber accidentellement du toit. Étudiée pour s'adapter aux différents types de terrain. Avec ses six roues indépendantes, elle circule aussi bien dans un champ de blé que sur des escaliers.

MARINETTE et LES VIEILLES de TUSAR::
Marinette (gauche) est la femme de Tusar. Il l'a choisie pour ses talents culinaires. Les vieilles sont sept. Chacune est responsable d'une montgolfière. Pipette (3ème gauche) est la doyenne.

TATOUAGE de TUSAR::
Tusar en a fermé le cercle et l'a noircit, ce qui est très dangereux car le pigment noir est extrait du lichen rouge (T.1).

TENTACULES de TUSAR::
Elles sont insérées dans son cerveau pour inhiber les zones de la mémoire et de l'orientation.

HAWRON::
Chef de la Tour et propriétaire de la chaise-à-roues avant l'arrivée de Tusar.

TENIA   SUCCO

85 eiz, épouse de Falbon Yugher, fils de Fezy. Elle vit dans sa Chambre-Télescope.
Comme beaucoup de ceux de sa génération, elle connaît l'art de l'hypnose (T.2, p.20), mais des problèmes dus à son grand âge l'empêchent d'en profiter pleinement. Presque aveugle, au point qu'on a dû la placer à l'intérieur de son Télescope…
Elle s'est plainte pendant longtemps d'avoir été éloignée de Tous à cause de ses problèmes gastriques, mais aujourd'hui elle s'en fiche et apprécie le beau paysage qu'elle peut presque voir de sa Terrasse.
Télépathe de classe D (distances proches). Rien d'extraordinaire, mais comme les Télépathes sont rares de nos jours, une Classe D, c'est mieux que rien.

80 eiz. Il est resté petit à cause d'une forme de "sommeil blanc" contractée à l'âge de 12 eiz, pendant la guerre. Il a aussi une grave hypertension des épaules. C'est pourquoi il porte des pare-épaules.
Ce n'est pas un expert en mécanique, ni en armurerie.
Il aimait à jongler pour distraire Tyta enfant et lui a construit des jouets. Un grand maître pour sa fille adoptive.
C'est à cause de lui que le sous-marin du village Maser s'est échoué à la sortie du Fjord.
Tusar n'a jamais accepté l'élection de Succo comme maître gardien. Quand Succo est parti pour la Tour, Tusar, à présent doyen, est devenu le nouveau Maître. Il a effacé toutes traces de l'existence de Succo dans le "Livre d'or" des Maîtres Gardiens.

TÉLESCOPE::

L'inclinaison et la direction sont réglées pour un réveil matinal autour de 9 eiz l'hiver et 7 eiz l'été, quand les premiers rayons du soleil rejoignent le lit placé au fond du télescope…

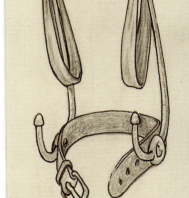

PARE-ÉPAULES::
Chaque matin, sauf en cas d'urgence (T.4, p.2), Succo s'oblige à faire une "salutation au soleil", un exercice très compliqué, pour se décontracter les épaules pour toute la journée.

CHAPEAU de SUCCO::
Le casque de scaphandre est recouvert d'un vernis spécial qui change de couleur pour indiquer si le scaphandre est en marche ou pas.

TYTA

23 eiz. Sœur de Erha. Fille de Yano-Saya et Tzynn-Saya. Elle n'a vécu que dans "l'Œil-de-la-mer" avec Succo comme seul compagnon, ce qui explique qu'elle ait un trouble du langage... Elle est peut-être muette.
Personne ne comprend comment une aussi jolie fille a pu tomber amoureuse de Fango (T.3, p.40). Mais sur Kolonie, on apprend à accepter les petites ironies de la vie...

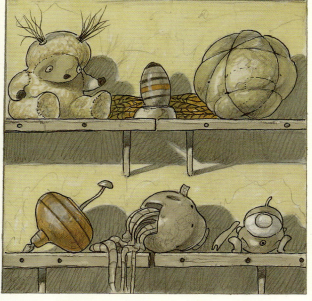

JOUETS de TYTA::
En parfait tuteur, Succo a toujours gâté Tyta... avec les moyens du bord. Ces jouets qui ont accompagné la petite fille durant toute son enfance n'ont été confectionnés que de matériaux trouvés dans l'Œil-de-la-mer.

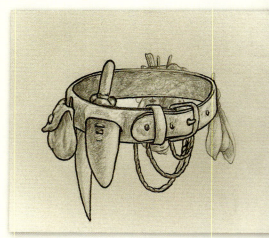

CEINTURON::
Tout ce dont on a besoin pour survivre dans "l'Œil-de-la-mer": un poignard, une pierre à feu, des appâts pour Éphémères et vers-serpent, de la viande séchée.

RITUEL DE FIANÇAILLES::
Tyta l'a appris de la bouche de Succo. Le découpage du pare-oreilles: rite par lequel la femme s'offre à son aimé (qui, une fois "marié" se laisse un peu aller).

Note: Mettre un poignard dans les mains d'une femme a toujours comporté des risques, surtout lorsqu'on n'est pas sûr d'être dans ses bonnes grâces.

Avant découpe.   Après découpe.

SCULPTURES DE SABLE::
Suprêmement douée pour la sculpture, elle utilise, comme matière première, la seule chose qu'on trouve en abondance sur Kolonie, le sable. Plus d'une fois, au détour d'un rocher, ou en se réveillant, Succo a eu un arrêt cardiaque devant les "blagues-de-sable" de Tyta...

MARA-KHAMAY

On sait très peu de choses sur Mara-Khamay: ni son âge, ni ses origines. Les archives sont muettes à son sujet: quelqu'un a dû faire disparaître son dossier. Selon des sources confidentielles, elle vit depuis longtemps dans la "Fleur de soleil".
Botaniste de classe supérieure, elle semble avoir peu de considération pour les robots qu'elle appelle des "Mécaniques" (T.5, p.17).

Maîtresse dans l'art de "l'épée équilibrée", elle parle la langue Li. Tenue en grande estime par tous les petits "Egos", elle semble également avoir un certain contrôle sur les "Chimères". Sa queue lui sert de balancier lorsqu'elle se déplace de liane en liane dans les Tuyauteries du Brock.
Le tatouage qui se trouve sur son front indique qu'elle a tué quelqu'un.

MANTEAU TOTTOM::
Le tissu du manteau, fait de fibres récupérées sur la "Méduse-intelligente", est appelé TOTTOM (toile fuyante). Caractéristiques: La chaleur ou le froid en modifient la trame et la couleur, de façon adaptative. Les couleurs et les dessins se modifient d'eux-mêmes. Variante: La poussière de la fibre est utilisée pour le maquillage et la coloration des lentilles (T.2, p.38).

ROBO-RESPIRATEUR::
Sert à la respiration sous-marine. Indispensable pour vivre dans le "Brock". C'est un véritable branchie. Presque tous les Egos en possède un.

LA QUEUE de MARA-KHAMAY::
Elle est fixée à l'os sacré (sacrum). C'est un "Robo-équilibrant". Accessoirement, les spécialistes qui installent ces robots sont forcément des gens équilibrées.

LES EGOS

LA MALADIE DE L'EGO::
Jusqu'à 6-7 eiz, l'enfant est normal. Ensuite, un bouton apparaît sous l'œil droit. En trois mois, les pavillons des oreilles deviennent absolument plats, la structure du visage et du corps se développe, les moustaches poussent très rapidement ainsi que les cheveux. Après 6 à 9 mois, les enfants malades sont identifiés par un tatouage intégral, avant d'être jetés aux ordures. Le corps est complètement tatoué, à part un grand cercle sur le front, que l'on laisse de la couleur de la peau. Les Egos l'appellent "cercle de déshonneur". Pour le couvrir, ils portent sur le front des lampes dont ils font parfois cadeau aux visiteurs (T.5, p.16).

D'âge indéterminé: de 6 à 65 eiz. Dans le monde de la Tour, les Egos sont des "écartés".
De tous les Egos, seul le Super-Ego (le premier arrivé au Brock) a le droit de monter sur la Sphère sacrée.

NOTE DE LA RÉDACTION::
Toutes nos excuses, les Egos sont un peu turbulents, nous avons eu du mal à les approcher. De plus celui-ci s'est emparé d'une pipette pleine d'encre et a cru bon d'ajouter sa touche personnelle à cette page.

NOTE SUR LE BOUTON::
Toujours sous l'œil droit. L'Ego ne voit jamais son nez. Si les autres ne le contredisaient pas, il pourrait croire être le seul Ego à ne pas avoir de nez. De ce fait, tous les Egos pensent avoir été "écartés" par erreur.

NOTE SUR LE NOM::
Tous les Egos se nomment "Ego", sauf un: Le Super-Ego.
Cela ne leur pose pas le moindre problème, puisqu'ils se reconnaissent parfaitement entre eux.

ORO

On sait très peu de choses à son sujet (une grande enquête est en cours). Ce dont on est certain pour le moment, c'est qu'il parle le Ki et qu'il semble savoir plus de choses sur Zerit que Zerit lui-même.
Gardien du Brock et proche de Mara-Khamay, c'est probablement un agent de la "Reine-de-la-mémoire".
Il semble bien connaître la topographie de la Tour, et porte autour du cou un collier étrange comportant une sphère.

TURBO-GANTELETS::
(Robo-Droite-Gauche)
Très utiles pour le gros œuvre pendant la construction de la Tour, capables d'augmenter leur portée et leur puissance ces gants sont une merveille d'ingéniosité du point de vue câblage pneumatique et pompe à air mais un échec total sur le plan informatique: la partition du disque dur numéro deux a toujours été très instable.

SACS DU COU::
Les cous des gantelets (qui peuvent atteindre une longueur de 200 paumes) peuvent aussi être utilisés comme périscopes. (Ne pas oublier de les déployer ensemble pour l'observation, afin d'avoir un rapport équilibré et crédible sur ce qu'ils ont enregistré.)

NOTE SUR LA LANGUE KI::
Ancienne langue parlée par les maîtres Khankh. Pour se faire comprendre en langue Ki, mis à part la parole, la posture et la respiration, il faut croire à ce que l'on dit, sinon la phrase est incompréhensible! Utilisée sur les faibles, elle a un pouvoir de persuasion.

LES SYLVYTES

Pendant la guerre, quand les nains étaient faits prisonniers, on les soumettait à un jeu cruel: "Le contrapuntique". Ce jeu consistait à habiller un nain de manière très voyante et à le lâcher dans la nature. La chasse lui était donnée, qui pouvait se dérouler jusqu'au Terme final ou se terminer sur un simple lever de drapeau! Ces nains malchanceux étaient appelés des "Sylvytes" (ou proies).

CAPUCHON SYLVYTE::
Tout dans le costume a été étudié pour rendre la proie facile à repérer. Le capuchon permet de repérer l'infortuné à une distance de plus de deux kilomètres!

MÉDITATION KI::

TECHNIQUES DE COMBAT::
Le Sylvyte, lorsqu'il combat, ne frappe pas. Sa technique consiste à épuiser l'adversaire, en évitant ses coups par des sauts puissants et rapides.

Photocopie cette page et fabrique ton propre Sylvyte, fidèle compagnon de tes soirées entre amis.

LA RESCAPPÉE::
Seule survivante des jeux, très douce sous l'aspect létal d'un ver-serpent, cette jeune naine de 62 eiz est née dans la Tour, loin des autres nains. Elle n'a jamais subi l'opération des yeux (T.2), ni jamais vu un de ses semblables. Elle se croit donc unique.

KHOZ YLLY

Une brute primaire. Il a compensé en muscles ce qui lui manque en intelligence. Il a vécu toute sa vie dans la Tour, à faire le "charognard". Quand il a commencé à travailler pour Tusar, celui-ci lui a offert un Robo-Crow, le gîte et le couvert. Il s'en contente pleinement et fait ce qu'on lui dit de faire.
Sa mâchoire, brisée il y a dix eiz par un Trakko excité, est son seul point faible: une petite claque et il tombe dans les pommes!
Cela fait cinq eiz qu'il n'est pas sorti de son Robo-Crow, sauf en présence de Tusar... ce qui lui crée de petits problèmes de dos et d'intégration sociale.

DOS ÉCAILLÉ::
Le contact avec l'habitacle du Robo-Crow peut occasionner le développement de plaques qui rendent la peau du dos aussi épaisse que la peau d'un Rombo*.

*Gros poisson cuirassé.

ANNEAU de KHOZ-YLLY::
L'artisan qui avait monté les dents du Trakko sur sa mandibule-prothèse a gravé le nom de Khoz-Ylly sur cet anneau (T.4, p.27). C'est le seul ornement que porte ce bœuf décérébré.

MANDIBULE de KHOZ-YLLY::
Après avoir écrasé la tête du Trakko qui lui avait cassé la mâchoire, on dit que Khoz a extrait les dents les plus petites de la bête pour les faire monter sur sa mandibule-prothèse.

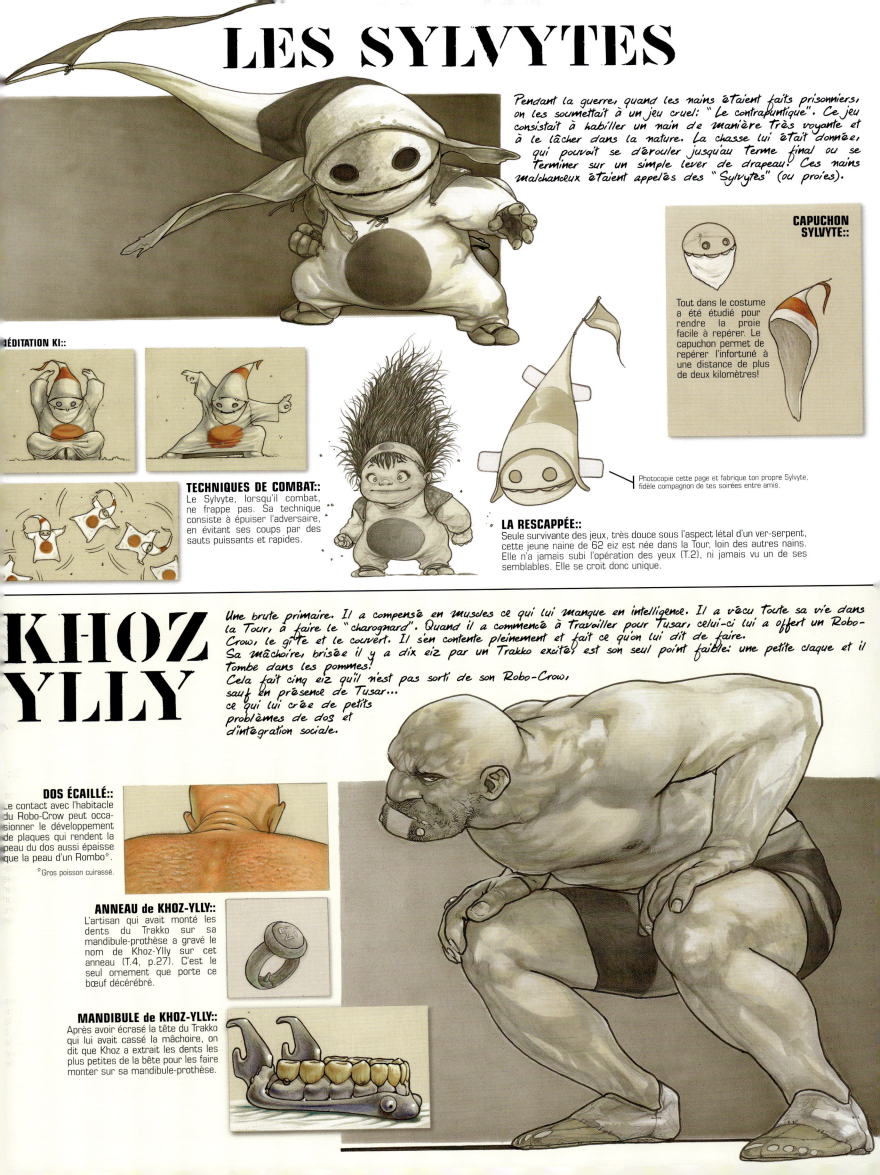

LE RAT DE MER

Principal moyen de transport des Egos, ces gros omnivores sont au sommet de la chaîne alimentaire de la Tour. Ils dévorent absolument tout, mais leur extrême utilité console les Egos d'avoir à supporter ce fléau permanent.

BON À SAVOIR::
Le rat de mer n'est pas très doué pour l'escalade.

Les voyages sub-aquatiques à dos de rat de mer sont agréables, mais le rat a la mauvaise habitude de s'ébrouer à l'arrivée...
Il faut attendre ensuite qu'il termine ses longues urinations après la baignade.

LA SELLE::
La selle est conçue pour contenir tout ce qu'on peut trouver autour de la Tour.

POMPE ANTIBIOTIQUE::
La bosse qui se trouve sur son dos est un bon indicateur de l'état de santé de l'animal. Le problème c'est que la selle du rat est conçue pour fonctionner lorsque celui-ci est en forme (bosse tonique).

DISCIPLINE::
Un "chapeau de rat", fixé à son crâne par des vis et un "mors-passant" sont les seuls moyens qu'on ait trouvé pour éloigner ce gros animal de plus de 2 tonnes de ses obsessions nutritionnelles.

Pour soigner l'animal tout en redonnant sa forme rebondie à bosse, il faut garder la pompe antibiotique sous la selle pendant 1 syntiriben.

REINE-MÈRE YOK

JEUNE REINE-MÈRE

YOK
REINE-MÈRE YOK

Aux dernières nouvelles, la Reine-Mère Yok (T.4) serait maintenant en phase pré-létale. L'ovulation a été suspendue, mais les hommes de Tusar ont fermé les conduites d'eau pour empêcher la jeune reine de s'enfuir pour perpétuer sa race.

Toute la population des Yoks dépend d'un très petit nombre de Reines-Mères. L'une des dernières (on suspecte la présence d'une autre Reine-Mère au delà de la ligne des glaces) étant tenue en captivité, les Yoks dépriment et se suicident.

Les Tourrains exploitent la "Reine-Mère Yok" et les Yoks exploitent les Tourrains.

ÉTOILES::

recto   verso

Les étoiles dont les Tourrains se servent pour féconder la Reine-Mère ont été modifiées avec une pipette mécanique, sans toucher à leur complexe structure interne.

Les grands consommateurs de Clim croient dur comme fer à l'existence de Yoks volants.

VOUS VOYEZ?!

LES CHIMÈRES

...sonne ne sait si leur origine est biologique ...artificielle. Ce sont peut-être les gardiennes ... Troisième ascenseur.
...ur corps est composé de milliards de ...lules appelées les "puces-de-chimère", ... qui leur permet d'en modifier la ...ucture et de se glisser dans les ...yauteries et Tous les endroits inaccessibles.
... seule partie solide de leur corps est le ..."Nombril" ou "Amphore", un petit vase de ... celaine.
...lon les dernières informations, le "Nombril" ...mble intervenir dans leur auto-reproduction.
Les Chimères sont très liées à l'eau, sur laquelle elles peuvent marcher. Comme elles sont très silencieuses, il est presque impossible de déceler leur arrivée.

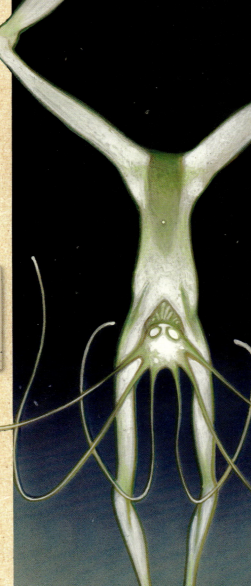

PUCES-DE-CHIMÈRE::
(AGRANDISSEMENT AU MICROSCOPE)
Invisibles à l'œil nu, elles peuvent être projetées par les mains ou les tentacules.
Transmises par les mains, elles ont un effet curatif. Les puces sortant des mains très lentement, leur effet thérapeutique demande des heures de traitement.
Lancées par les tentacules de la tête, elles peuvent blesser ou même tuer un homme. Les tentacules expulsent les puces par centaines de milliers, à très grande vitesse. Quand elles exercent leur thérapie, les Chimères semblent acquérir une certaine féminité (vert) qui contraste avec leur masculinité (rouge) pendant l'attaque, et leur neutralité habituelle (bleu).

SARCOPHAGE::
On a retrouvé dans les archives une image de ce que les anciens appellent un "Sarcophage de Chimère", mais on n'en sait pas plus.

...NTAINE DE CHIMÈRE::
...au sacrée dans laquelle les Chimères vont ... purifier est très alcoolisée. Elle est très ... préciée par les Egos qui en boivent autant ...ils peuvent.

SYSTÈME D'AUTO-REPRODUCTION::
Voici un reportage très rare, qui nous permettra, peut-être un jour, de faire toute la lumière sur ces étranges créatures.

   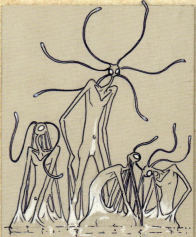

ROBO-CROW

Robot ultra performant, très léger et très puissant.

Pendant la construction de la Tour, leur alimentation traditionnelle (cubes de chaleur) combinée à leur force mécanique ont fait de ces robots (avec le Robo-Cigogne et le Robo-Pélican) les meilleurs véhicules de transport de marchandises.

Les ailes, en forme d'éventails, sont construites de micro-fibres super-résistantes d'une épaisseur de 3 microns. Le réglage des plumes est pris en charge par un microprocesseur logé dans les micro-ailes.

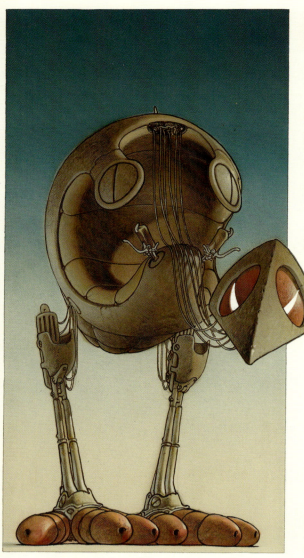

LA QUEUE::

"Deux griffes, deux mains et une queue, c'est tout ce qu'il vous faut!" Tel était le slogan de promotion du Robo-Crow pour recruter des pilotes volontaires pendant la construction de la Tour.

VÉTÉRINAIRES::

Les Mécaniciens peuvent diagnostiquer l'état des robots en les regardant dans les yeux. C'est pour cette raison qu'on les appelle des vétérinaires.

SCAPHANDRE

S'il y a un robot qui n'a pas de limites, c'est lui! Que ce soit dans l'espace ou le sous-sol, dans l'eau comme dans l'air, le Scaphandre est le plus versatile du parc robotique de Kolonie. D'apparence très massive, avec ses deux paires de mains, il peut soulever un Mecha ou enfiler une aiguille avec la même efficacité. Comme la Pieuvre et les autres robots de même type, le Scaphandre utilise la vibration des micro-ailes pour naviguer dans le sable.

PROPULSION::
Mise au point pour le travail dans l'espace, la propulsion des Scaphandres a été utilisée lors de la guerre menée contre les incursions de libellules des nains.

COURSE DU SCAPHANDRE::
Vitesse de course sur les mains: 140 km/h.
Vitesse de course sur les pattes: 40 km/h

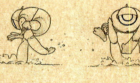

RÉSERVOIRS::
Les Réservoirs d'eau sont dans la partie abdominale. Pour les remplir, il suffit d'immerger les jambes dans l'eau. Les pompes feront le reste.

ENTRETIEN::
Après chaque désensablage, il faut bien aspirer le sable restant dans le conduit ombilical du Scaphandre, pour empêcher de coincer le gyroscope.

PATTES
Les grosses pattes du Scaphandre peuvent se révéler d'une délicatesse extrême, grâce aux palpeurs de pression.
Les petites pattes, par contre, peuvent développer une puissance considérable, par rapport à leur dimensions.

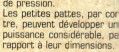

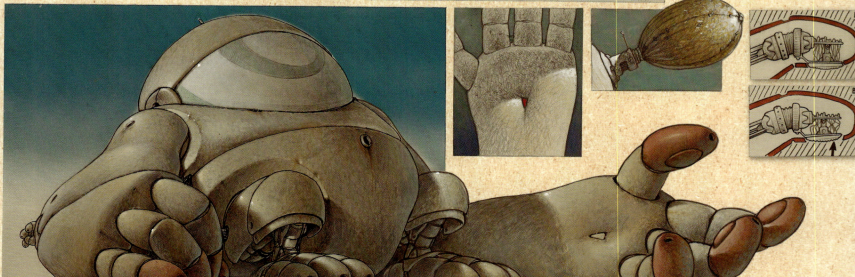

HOTRU-CHAUPOUSIN

HOMME **AU**TRUCHE **CHAU**VE-SOURIS **POU**LE **SIN**GE.

Ce nom est dérivé des principales espèces dont ces dangereux robots s'inspirent. Ils se présentent sous différentes formes mineures et sous-formes secondaires... jusqu'à imiter parfois un lampadaire.

ARME PRINCIPALE::
Leurs mains câblées peuvent bloquer une raie de mer pour la marquer. De très grande utilité comme espions. Peuvent être programmés en commande manuelle ou bien dirigés depuis la Mecharachnide. En cas d'accident, peuvent se mettre d'eux-mêmes en phase de "disjonction"(T.5).

FONCTIONNEMENT DE LA MAIN ET DU PIED::
Quelques Hotru-Chaupousins de première génération possèdent un troisième pied. Remplacé par une troisième et quatrième main sur les versions plus récentes.

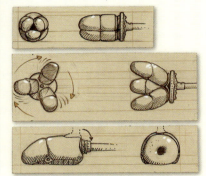

GRAPPE VISIONNEUSE::
Ce que voient les Hotru-Chaupousins est transmis à la grappe contrôlée par un mini-gastro-récepteur.

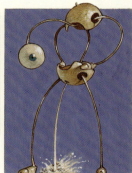

DÉCOLLAGE::
Trois formes de décollage::
1> supérieure à turbulence.
2> postérieure et inférieure.
3> à propulsion.

CIMETIÈRE HOTRU-CHAUPOUSINS::
Les Egos y laissent pourrir les coquilles de Hotru-Chaupousins, alors que le tarif des yeux ne cessent de grimper. Ils ne supportent pas le contact de l'eau.

MECHARACHNIDE

Robot gigantesque (40 mètres de haut, 82 mètres de large) et gardien de l'ascenseur de Tusar.

Créé pour la manutention du champ de blé, il assure, par son travail, une grosse partie des exigences alimentaires de la Tour. Ces derniers Temps, Tusar l'a séquestrée pour en faire son garde du corps et son arme suprême.

Seul le Psycho-snail peut contrôler la puissance de ce monstre à huit pattes, capable de lancer ses harpons à 70m., de supporter une charge de plus 20 Tonnes, et de sauts de plus de 30m.

GRAND PSYCHO-SNAIL::
Longueur jusqu'à 30 m.

Le Psycho-snail est mis à rude épreuve et a une durée de vie très brève. On doit le remplacer chaque semaine.

C'est le véritable poste de pilotage de la Mecharachnide. Possédant 1203 tentacules capables de lire les intentions de celui qui conduit, il est sans pitié pour ceux qui se risquent à le piloter sans précaution, et peut vous arracher une main comme qu'un rien, si vous le touchez avec quelque chose de non-organique (demandez ce qu'ils en pensent à Tusar et au chef du village...). Beaucoup ont essayé de piloter une Mecharachnide sans savoir conduire un Psycho-snail, mais bien peu y sont arrivés. Pour piloter, Tusar doit se déshabiller et se laver avant d'entrer dans le Psycho-snail. Il ne doit rien porter de non-organique, pas même le symbole sacré.
Attention: un usage prolongé peut créer une accoutumance.

On peut aussi utiliser la Mecharachnide pour le transport de troupes.

jeune Psycho-snail::

vieux Psycho-snail::

En vieillissant, l'animal peut toujours servir à préparer une très bonne soupe à l'escargot.

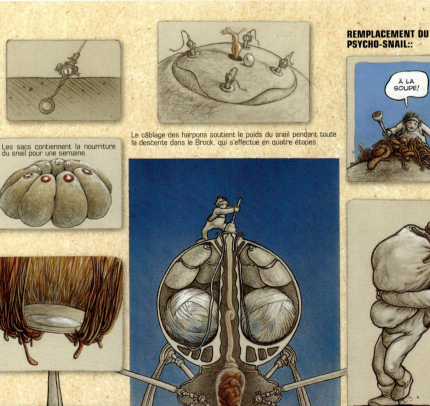

Les sacs contiennent la nourriture du snail pour une semaine.

Le câblage des harpons soutient le poids du snail pendant toute la descente dans le Brock, qui s'effectue en quatre étapes.

REMPLACEMENT DU PSYCHO-SNAIL::
À LA SOUPE!

FONCTION DES TENTACULES::
En plus de leur utilisation pour manœuvrer les pattes mécaniques, les tentacules peuvent être utilisées comme ascenseur (T.5, p.1) ou bain psionique (très dangereux).

MOZZO

MOBILE HOME::
Derrière le poste de pilotage, une jolie chambre avec deux couchettes, un coin toilette et une petite kitchenette sont à la disposition du pilote.

IMPORTANT: Ne pas purger le réacteur sans lire les instructions.

SALLE DE PILOTAG
Il faut être au moins trois po
bien piloter un Mozzo: le pilo
le navigateur, et l'essuie-sue
du pilote... Et il y a quelo
audace à conduire tout seul...

Comme disent les anciens: Un mozzo sans Micro-ailes, c'est comme un Yok sans nageoires. Tous les modèles sont dotés du chef-d'œuvre Technologique que sont les Micro-ailes, et pour cause, sans elles ces gros tas ne décolleraient pas d'un poil de rat. Ce furent les plus importants avions de Transport de marchandises sur Kolonie durant le premier âge. Ils ont été mis au rancart à l'arrivée des Avions-chouettes et des Tobos. Mais les nostalgiques comme Succo ne peuvent renoncer à ces grosses machines bruyantes et pleine de Trous.

LA PIEUVRI

POSTE DE PILOTAGE::
La Pieuvre pouvant prendre plusieurs positions, elle est munie d'un poste de pilotage flottant qui s'adapte à l'inclinaison.
Celui-ci est directement relié aux 125 brûleurs de cubes de chaleur, qui consomment 5 cubes par mile.

C'est un méga-Transporteur aquatique avec une capacité plus de 1000 Tonnes et 35 hommes. La Pieuvre ne conna pas d'obstacles (du moins jusqu'au pied de la Tour Capable de se déplacer en surface et à de grand profondeurs, elle peut même évoluer en sous-sol.
Sous l'eau, avec ses 42 Tentacules, elle peut atteindre u vitesse de 40 nœuds.

Rien ne peut arrêter la Pieuvre, sauf la Tour...

A FLEUR DE SOLEIL
VEGETATION

① LICHENS/ PETITS CHOUX-FLEURS: Ne pas toucher!
② LES ARBRES: Il n'existe pas d'autre espèce et tout ce qu'on sait c'est que la matière qui compose le tronc est combustible.
③ LES LIANES: Moyen de déplacement le plus utilisé dans la Fleur (T.5, p.15).
④ LES GRANDES FLEURS: Elles poussent sur les parois. Elles sécrètent un liquide très apprécié des Chimères et des Egos.
⑤ LES PLANTES D'EAU: Ingrédient principal du Rouleau d'Automne, le plat préféré des Egos.
⑥ LE LICHEN-HÉLIUM: Dans la Fleur, l'air contient beaucoup d'hélium, à cause de ce petit lichen souterrain.
⑦ LES PETITS CHAMPIGNONS: Le "petit fantôme" est la partie hallucinogène de la plante. Tout le reste est tout bêtement comestible.
⑧ ROCHER SAUTERELLE: Plante carnivore très dangereuse pour les petits animaux. Utilisé par les Egos comme trampoline pour se déplacer dans la Fleur.

PHASES DE CROISSANCE::
① PÉNÉTRATION: En entrant dans l'atmosphère, l'enveloppe brûle et commence à libérer les premiers éléments volatils.
② ROTATION: Les trois élytres s'ouvrent en libérant une seconde vague d'éléments. Ils se mettent en rotation automatique en libérant une nouvelle vague.
③ ATTERRISSAGE: Les élytres se détachent et se décomposent en créant un humus fertile pour la croissance des végétaux dans la zone. La partie inférieure se brise avec l'impact en libérant des graines et les spores.
④ VÉGÉTATION: La coque s'ouvre en libérant les éléments végétaux intérieurs et les micro-organismes.
⑤ MATURATION: La végétation arrive à maturité (voir illustration pages suivantes).

SPHERE MASER

Taillée dans un gros cube de basalte. Les anciens racontent que la Taille du bloc nécessita le recrutement d'artisans experts et de grands consommateurs de Clim. Avec l'aide d'une inspiration divine, le Travail fut effectué en Trois jours.
D'un cube de 5x5x5 longueurs ils Taillèrent une sphère parfaite de 3 longueurs de diamètre.
On pense que cette sphère serait le Troisième ascenseur, qui va du Brock à la "Tour-basse". On dit avoir vu des Chimères y entrer et en sortir, mais cette rumeur n'a pas été confirmée. En ce qui nous concerne, c'est simplement un "rocher suspendu".

LA CHANSON DE LA VIE::
(chantée par les Egos)

À l'arrivée de la Grande Splendeur
Tout allait bien: pas de malheur.
La guerre est venue avec FY,
Et tout est tombé dans l'oubli.

Ni le temps, ni la mort, ni la vie
Ne pourront empêcher
Les semences de germer
Sous les rayons de la Lune.

Quand le cœur sacré s'en ira,
Le cercle de l'anneau tu fermeras.
Et la porte de lumière s'ouvrira.
Mais à ton grand rêve, tu renonceras.

Ne crains rien
Offre-toi à toi-même
Et deviens Lune

Omma-Omma! Oh mama!
Omma-Omma! Oh mama!

LA TOUR

LE BLÉ::
Sur Kolonie, le blé n'est pas fait pour pousser dans la terre: tout a été conçu pour cultiver cette variété sur des "sacs-d'eau".

CIMENT CELLULAI[RE]
Utilisé à l'origine pour les réparations sur la Tour. C'est une mousse qui, une fois plongée l'eau, remonte à la surface et se gorge de liquide. Très léger, il est inaltérable à fo[rce de] surface durcie. Utilisé pour la construction des montgolfières (habitacles ou nacelles), emb[arca]tions, maisons-hérissons, maisons-araignées, ponts, etc... Les portes et les fenêtres [sont] créées dans le ciment pendant sa phase d'expansion, en y plaçant des objets solides à l'[endroit] où on désire installer une ouverture. On peut, avec cette méthode, englober dans le mur [toute] sorte de mobilier, des chariots de traction, ou... des "parents incommodes" (lit à dispa[rition] murale pour les maisons-hérissons).

SAC D'EAU::
Son épaisseur de 5 paumes lui permet de résister aux pattes des Mecharachnides.

LA TOUR-HAUTE::
Faite d'une matière inaltérable, composée de millions de "micro-miroirs" mobiles qui réfléchissent la lumière solaire sur le champ de blé.

CHAMP DE BLÉ::
Le champ de blé pousse en réalité sur un terrain constitué de cinq ou six sacs remplis d'eau: ce qui permet de vider une partie du champ pendant les travaux d'entretien et d'alterner la culture du blé et du riz.

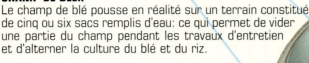

LES ASCENSEURS::
Les ascenseurs qui conduisent à la Tour-haute sont au nombre de trois. On les appelle les "suspendus" et chacun d'eux possède un gardien.
1> La Boule. Elle mène de la mer au lac (T.4, p.29). Gardien: Robo-Pieuvre.
2> La Maison de Tusar. Gardien: la Mecharachnide.
3> La "Sphère-Maser". Gardiens: les Chimères.

Une partie de l'ascenseur est réalisée avec la matière obtenue à partir de la substance gélatineuse des méduses. Transparente comme le verre, elle a la propriété de se dissoudre et de revenir à son état initial (T.4, p.30). On ne connaît pas exactement le fonctionnement des ascenseurs deux et trois.

LES NACELLES::
Nacelle rouge: pour le transport du grain et des marchandises.
Nacelle verte: pour le transport des ordures.

MONOROUE::
Pendant l'âge de la "Grande Splendeur", c'était le moyen le plus couramment utilisé pour se déplacer à l'intérieur de la Tour et dans les stations scientifiques installées sur les îles (T.1, p.19).

MÉTRO ESCARGOT::
À cause de leur lenteur, leur utilisation a cessée pendant la guerre.
L'un de ces Métros escargot est utilisé pour le transport de marchandises et de produits alimentaires. Il possède deux roues supplémentaires à l'avant et le volume des compartiments est modulable.
L'autre est destiné au transport des habitants de la Tour.

SOUS-MARIN::
Sert à l'exploration des fonds marins, les liaisons maritimes, et le transport de marchandises.

DÉCOLLAGE::
Avec le moteur "Supermak 6200" qui équipe les "chasseurs-des-étoiles", on peut, avec un peu de chance, faire décoller un sous-marin.

LE BROCK::
C'est la zone basse de la Tour. À l'intérieur, dans la zone des tuyaux et du lac salé, vivent les Egos avec Mara-Khamay et les Chimères.
Au centre se trouve la Sphère Maser, recouverte de végétation, et la Fleur de soleil.

LES MARCHEURS::
Ceux qui n'ont aucun moyen de transport marchent énormément.

VILLAGE MASER & MONGOLFIÈRES

LE VILLAGE DE TUSAR::
Le seul des sept villages resté habitable après la guerre. Les villages se trouvent dans la partie haute de la Tour, avec leurs sept lacs. Ils sont reliés à la colonne centrale de la Tour par des couloirs. Les villages sont bâtis sur pilotis, au-dessus de l'eau qui alimente le lac. Dans leurs parties inférieures, on trouve un système de canalisations d'eau et d'aqueducs de service.

LES MAISONS::
Petites, mais très confortables. Elles comportent généralement deux ou trois chambres. Construites les unes à côté des autres, elles forment un dédale de ruelles dans le village.

MONTGOLFIÈRES::

ons faits d'estomacs de Yok. Nacelles faites de ciment cellulaire. Les Montgolfières se déplacent continuellement autour a Tour. Elles sont peut-être la seule innovation notable de l'après-guerre. Il en existe différents modèles:

MONTGOLFIÈRE DES FŒTUS::
Comme c'est là que se développent les fœtus prélevés dans le lac du Yok, cette montgolfière est aseptisée. Ceux qui y travaillent ne sont pas autorisés à la quitter.

MONTGOLFIÈRE DU PREMIER ÂGE::
On y transfère les enfants âgés de quarante jours, pour y être élevés par les "jeunes mères". Ils y resteront jusqu'à leur sevrage.

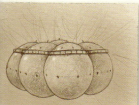

MONTGOLFIÈRE DES TROIS "SŒURS-MÈRES"::
Centre de sélection. On y élève les enfants âgés de six à sept eiz.

LA PETITE MONTGOLFIÈRE::
Les enfants sélectionnés y vivent jusqu'à l'âge de six eiz, au sein d'une équipe d'éducateurs, de médecins, etc... Capacité maximale: 120 enfants.

MONTGOLFIÈRE CAMBUSE::
En fer, pour éviter les effractions. Divisée en chambres de stockage (grain, poisson, viande, lichens, pains de chaleur, vêtements, équipements). On l'utilise aussi pour parquer les prisonniers (T.5, p. 2).

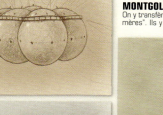

LES AILES::
Elles sont utilisées pour effectuer de courts trajets d'une montgolfière à l'autre.

LA POULIE::
Il faut la connecter chaque jour au lac pour humidifier son ballon afin d'empêcher sa peau de se dessécher.

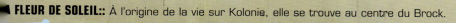

FLEUR DE SOLEIL::
À l'origine de la vie sur Kolonie, elle se trouve au centre du Brock.

FLOTTILLE DE MONGOLFIÈRES::

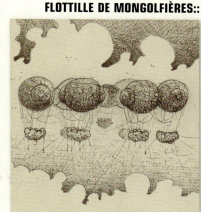

DETAILS

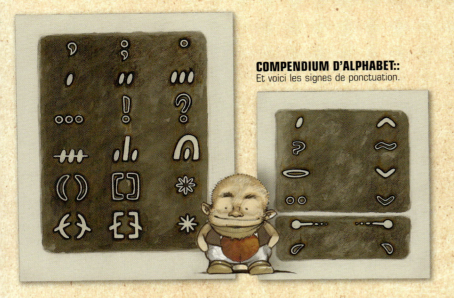

COMPENDIUM D'ALPHABET::
Et voici les signes de ponctuation.

LE LIVRE DE KHANKH::
Fermé par trois vis: une rouge, une blanche, une noire. Selon celle qui est dévissée en premier, on a le sens de la lecture pour les trois voies de Khankh.

POSITIONS DE LECTURE::
Le livre de Khankh ne se tient pas a les mains; il se tient tout seul. phrases dans le livre suivent syntaxe et une construction particulièr qui donnent, en plus de la significat un embellissement graphique basé le schéma du triangle.

SPHÈRE HOLOGRAPHIQUE::
Projecteur holographique. Commande hydraulique à distance. De différentes dimensions, avec variantes optionnelles: sons, couleurs, impressions tactiles, camouflage, etc.

JEU DE DÉS DES NAINS::
Les nains ne savent pas compter. Ce n'est pas le chiffre indiqué par les dés qui compte, mais leur position.

LES CUBES DE CHALEUR::
Il en existe différents types qui se distinguent par leur couleur:
>BLANC: Le plus recherché. Il est utilisé pour les avions, les robots, les lampes de longue durée. Haute valeur énergétique.
>JAUNE: Utilisé seulement dans la Tour pour les systèmes intérieurs: robots, illumination et outillage en général. Longue durée. Valeur énergétique moyenne.
>ROUGE: Utilisé seulement dans la station orbitale.
>VERT: Pour les petits bateaux, les monoroues, les robots, le hardware en général. Basse valeur énergétique.
>BLEU/BLEU CLAIR: Il est utilisé seulement pour la scission de H_2O en $H+H+O$.

LES CORBEAUX::
Ils ne servent à rien, mais Tusar les nourrit parce qu'il trouve que ça lui donne un air plus vicieux. De plus il apprécie leurs croassements, ça le calme.

L'OISEAU JELLA::
Très semblable au "Tronk-doigt", sauf le bec, qui est allongé pour extraire les insectes des parois de la Tour.
INTÉRESSANT: Il ne s'est jamais détaché de la Tour, sans doute à cause de sa proverbiale paresse.

LE TRONK-DOIGT::
Se nourrit de "vers-serpents" et de doigts de curieux (T.3, p.24), mais il peut aussi être une proie pour d'autres animaux (T.4, p.2).

LE SUCE-BOUE::
Comme les Tourrains et les "oiseaux-de-malheur", ce sont "Écartés", et tout comme les Egos, ils se jettent dans décharge pour arriver au Brock.

MÉDUSE INTELLIGENTE::
Donne une matière transparente comme le verre, capable de se redissoudre. Utilisée pour les ascenseurs (T.4, p.30). Leurs tentacules fournissent les fibres et les pigments de la "Toile fuyante".

LE POISSON GRANDE-QUEUE::
Appelé aussi "Scorpion-de-mer".

ATTENTION: La pointe de ses nageoires est empoisonnée.

LES ÉPHÉMÈRES::
Lucioles au stade larvaire. Au stade adulte, on dirait des éponges. Durée de vie dans l'eau; plus ou moins un syltiribén Puis elles s'envolent en quittant leur "corps-poisson" pour s'accoupler et mourir. Le vent ramène leur dépouille dans l'eau, où d'autres individus naîtront. Dépourvues d'appareil buccal, elles ne mangent rien de toute leur brève vie.